SOY DIFERENTE Y ME GUSTA

En cada diferencia hay una maravillosa historia

Eugenia Araiza Marín

Ilustraciones por

Alejandra Macouzet

HEALTHY
Diabetes
By Eugenia Araiza

BARKER ❷ JULES

SOY DIFERENTE Y ME GUSTA

Edición: Barker and Jules™
Diseño de Portada: Barker & Jules Books™
Diseño de Interiores: María Elisa Almanza | Barker & Jules Books™
Ilustraciones: Alejandra Macouzet

Primera edición - 2020
D. R. © 2020, Eugenia Araiza Marín

I.S.B.N. | 978-1-64789-275-3
I.S.B.N. eBook | 978-1-64789-276-0

BARKER & JULES, LLC
2248 Meridian Blvd. Ste. H, Minden, NV 89423
barkerandjules.com

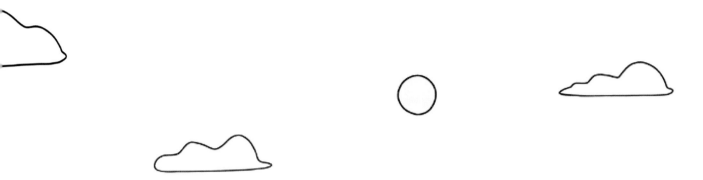

HEALTHY
Diabetes
By Eugenia Araiza

Para Índigo.

Que cada diferencia del mundo te muestre lo maravillosa que es la vida.

HEALTHY
Diabetes
By Eugenia Araiza

A ti que me lees:

Este libro es el primero de muchas historias con las que probablemente te sentirás identificado, porque reflejan una pequeña parte de nuestra vida con diabetes.

Yo, como tú, vivo con diabetes. Me diagnosticaron Tipo 1 a los 16 años cuando aún había muy poquito acceso a información sobre diabetes y la tecnología para controlarla era casi imposible de obtener. Lo que si había, y mucho, eran estigmas y malos entendidos sobre nuestra condición.

Durante años me sentí diferente y ¡me daba mucha pena! Pero, poco a poco, descubrí lo maravilloso que es ser diferente y todos los aprendizajes que nos trae ser así.

Hoy me siento afortunada de poder conocer otro aspecto de la vida y me encanta que tú seas como yo. Disfruta estas páginas, coloréalas y dales más vida.

Las hice pensando en ti

HEALTHY
Diabetes
By Eugenia Araiza

Cuando me levanto, además de lavarme los dientes, me checo
la glucosa. Eso me hace diferente y me gusta.

Antes de desayunar, reviso lo que voy a comery me inyecto insulina. Eso me hace diferente y me gusta.

En la escuela estudio y me divierto con mis amigos. Mi maestra me ayuda a inyectarme si lo necesito. Eso me hace diferente y me gusta.

En la comida, reviso con mis papás lo que comemos y me ayudan a calcular mi insulina. Eso nos hace diferentes y me gusta.

Cuando voy al parque, llevo algunos dulces para comer por si juego mucho y se me baja el azúcar. Eso me hace diferente y me gusta.

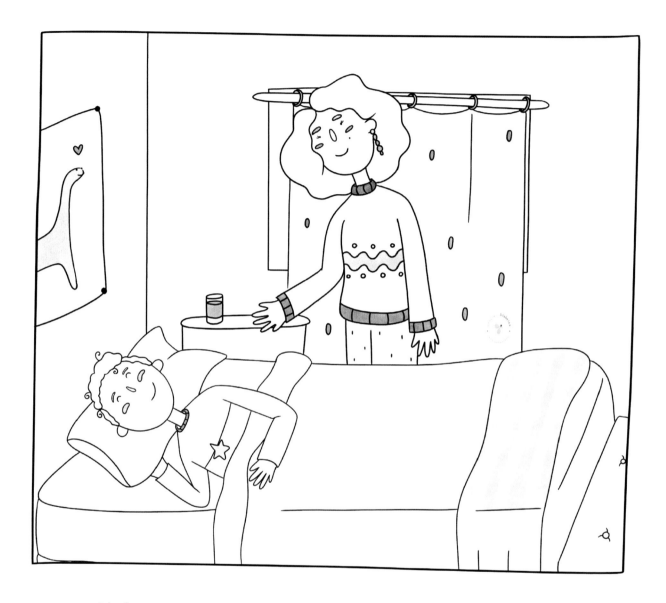

Al dormir, mi mamá revisa mi glucosa y me deja un jugo
cerca por si lo necesito. Eso me hace diferente y me gusta.

Todos los días hago algo diferente a los demás, pero todos mis días son iguales a los demás. Eso me hace tan diferente y tan igual, que me gusta.

Me gustan todas esas cosas diferentes que hago en el día, porque significa que me amo y me cuido.

Me gustan todas esas cosas diferentes que hago, porque me ayudan a conocerme más y a vivir mejor.

Me gustan los cuidados extras de mis papás, porque significan que me aman y mucho.

Me gustan, porque a pesar de que algunas duelen o no son divertidas, hace algunos años no existían y ahora me permiten jugar y reír con mis amigos y mi familia

Me gusta ser diferente, porque todo eso que hago me hace vivir y ser un niño feliz como los demás.

Pero lo que más me gusta es que hay niños diferentes como yo, que hacen lo mismo cada día y son tan felices como soy yo.

Yo soy _____ y me gusta ser

tu nombre

_____

_____

_____

_____

_____

_____

_____

_____

HEALTHY
Diabetes
By Eugenia Araiza

AGRADEZCO

A mis papás, por darme el impulso necesario para vivir la vida con diabetes con una visión plena, feliz y constructiva.

A Luis Felipe, mi esposo, mi compañero de vida y diabetes, por su apoyo, por día a día empoderarme tanto en este proyecto, como en mi vida.

A Alejandra Macouzet, por darle vida a las letras de este libro.

HEALTHY
Diabetes
By Eugenia Araiza

HEALTHY

Diabetes

By Eugenia Araiza

HEALTHY
Diabetes
By Eugenia Araiza

"Porque en cada diferencia hay una maravillosa historia".

HEALTHY
Diabetes
By Eugenia Araiza

Made in the USA
Monee, IL
27 October 2021